C'EST ICI QUE TOUT COMMENCE

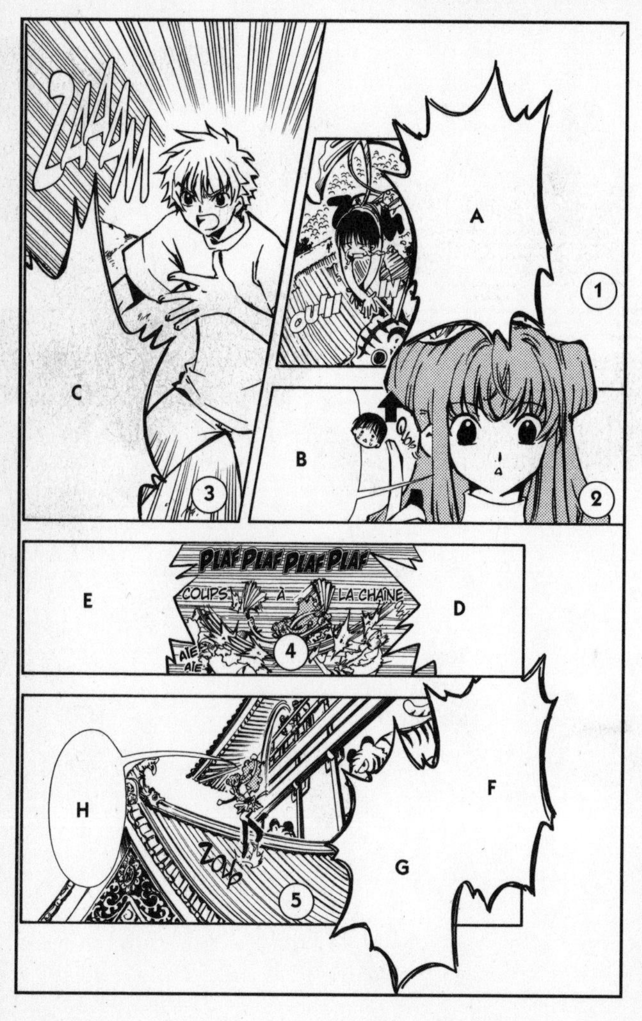

Il faut lire les cases dans l'ordre des chiffres indiqués et, à l'intérieur de chaque case, suivre l'ordre alphabétique. Bonne lecture.

tsubasa
RESERVoir CHRoNiCLE

tsubasa
RESERVoir CHRoNiCLE

Chapitre 6 - La force intérieure

WOOOOOOSH
TIENS, UN KUDAN DE FEU...
MOI, C'EST L'EAU. ET TOI, LES FLAMMES !
INTÉ-RESSANT...

DJ
ZAM
SPALSH
DOM

JE M'APPELLE SHÔGO ASAGI...
ET TOI ?
SHAO-LAN...
PSCHH
TU ME PLAIS, TOI !
PSSSHHH

SHÔGO ! V'LÀ LES FLICS !
WHAA
PFF... AU MOMENT OÙ ÇA DEVENAIT INTÉRES-SANT...
HAA AA
ALLEZ, LES MECS, ON SE CASSE !
VLAM
ZOUP
ZAM
FOW OOO !!
ON SE REVERRA, GAMIN !
TAP
HÉ, VOUS !
TAP
TAP

POF
!?
GYOOO
SLOP
C'EST RENTRÉ... EN MOI ?
IMPRESSIONNANT ! C'EST TOI QUI AS FAIT ÇA, SHAOLAN ?
C'ÉTAIT ÇA UN KUDAN ?
J'EN SAIS TROP RIEN... MAIS, D'UN COUP, J'AI EU UNE SENSATION DE CHALEUR EN MOI...

HA!
TU N'ES PAS BLESSÉ ?
NON NON
ET TOI ? EST-CE QUE...
TANT MIEUX !
POUF
HEIN ?!
IL A DISPARU !?
OKÉÉÉÉÉ !
POF
CE GAMIN AUSSI ÉTAIT UN KUDAN, ALORS !
UN KUDAN ??
C'EST N'IMPORTE QUOI, CETTE HISTOIRE !

AU FAIT, EST-CE QUE QUELQU'UN SAIT OÙ EST PASSÉE NOTRE BOULE DE POILS PRÉFÉRÉE ?
C'EST VRAI, ÇA... ?
HA !
MOKONA !
ON NE SAIT JAMAIS...
AVEC UN PEU DE CHANCE, IL S'EST FAIT ÉCRABOUILLER DANS LA PANIQUE...
SPROTCH ! COMME UNE CRÊPE !
FAIT CHIER C'TE BES-TIOLE !
GRAT GRAT
NOOOON
REGARDE
NON, JE NE CROIS PAS...
QU'IL EST MIGNON !
HII
HII
HIII
ADO-RABLE !
IL EST TOUT DOUX !
MOKONA EST AVEC LES FILLES, IL LES FAIT TOUTES CRAQUER ! ♥

BYE BYE
HI! HI!
BYE BYE
OÙ T'ÉTAIS PASSÉ, MOKONA ?
MOKONA ÉTAIT SUR LA TÊTE DE KUROGANé !
ET KUROGANé A FAIT TOMBER MOKONA !
ET, EN PLUS DE ÇA...
TOUT À L'HEURE...
ÉCOUTE
ÉCOUTE
BLOP
EN PLUS, PERSONNE N'A REMARQUÉ...
MOKONA A FAIT CETTE TÊTE-LÀ !
IL Y A UNE PLUME DE SAKURA PRÈS D'ICI !?

TOUT À L'HEURE, IL Y EN AVAIT UNE...
MAIS, LÀ, MOKONA NE SENT PLUS RIEN...
EST-CE QUE TU SAIS QUI AVAIT LA PLUME ?
BOUHHH
NON, MOKONA NE SAIT PAS...
JE VOIS...
PARDON
HUM...
IL S'AGIRAIT DE QUELQU'UN QUI ÉTAIT LÀ TOUT À L'HEURE... C'EST PLUTÔT MINCE COMME INDICE...
ON NE LE RETROUVERA PAS...
PEUT-ÊTRE, MAIS ON SAIT QUE QUELQU'UN QUI EST PRÈS D'ICI EN A UNE...
C'EST DÉJÀ ÇA !
SI TU SENS QUELQUE CHOSE, FAIS-MOI SIGNE, HEIN ?
POF
OUI ! MOKONA VA FAIRE DE SON MIEUX !

EN FAIT C'EST DE TA FAUTE ! SI TU N'AVAIS PAS FAIT TOMBER MOKONA...
COMMENT ÇA, DE MA FAUTE ? ET PUIS QUOI ENCORE ?
EUH... JE VOUS REMERCIE DE TOUT CŒUR DE M'AVOIR SAUVÉ !
COURBETTE
JE M'APPELLE MASAYOSHI SAITÔ...
J'AIMERAIS FAIRE QUELQUE CHOSE POUR VOUS REMERCIER...
MAIS NON, CE N'EST PAS LA PEINE, ENFIN...
MAIS, MAIS...
MOKONA VEUT UN BON REPAS ! DANS UN BON RESTAURANT !!
OUIIIIIIII
ON Y VA... ?
HEIN ?
OUI !

* GALETTES JAPONAISES.

VOUS N'ÊTES PAS D'ICI... ?
ET PUIS VOUS ÊTES BLOND...
HUM... ON PEUT DIRE ÇA, OUI...
ET ILS SE BATTENT SOUVENT COMME ÇA, LES GENS ICI ?
LA BANDE AVEC LES LUNETTES ET CELLE AVEC LES CASQUETTES...
? ?
AH, EUX... ?
ILS SE BATTENT POUR CONTRÔLER LE QUARTIER !
ILS SE METTENT PAR ÉQUIPE ET SE BATTENT AVEC LEUR KUDAN.
JE VOIS...
LE PLUS FORT IMPOSE SA LOI !

MAIS ILS SONT FOUS DE SE BATTRE DANS DES ENDROITS SI FRÉQUENTÉS...
C'EST MA FAUTE, JE ME RETROUVE SOUVENT LÀ OÙ IL NE FAUT PAS !
ÇA A L'AIR DÉLICIEUX ♪ !
MA TE
TU AS RAISON !
TU AS FAILLI ÊTRE BLESSÉ MASAYOSHI !
C'EST VRAI...
MAIS IL N'Y A PAS QUE DES BANDES DE VOYOUS !
CERTAINES ESSAIENT DE MAINTENIR L'ORDRE SUR LEUR TERRITOIRE...
ET ILS SE BATTENT CONTRE LES MÉCHANTS.
UN PEU COMME DES JUSTICIERS ?
ET CEUX QU'ON A VUS TOUT À L'HEURE ?
CEUX QUI PORTAIENT LES CASQUETTES, C'ÉTAIENT DES MÉCHANTS...
MAIS PAS CEUX QUI AVAIENT LES LUNETTES. EUX, ILS SONT DIFFÉRENTS.
IL LEUR ARRIVE PARFOIS DE FAIRE DES DÉGÂTS EN VILLE QUAND ILS SE BATTENT... ET ÇA NE PLAÎT PAS À TOUT LE MONDE. MAIS SINON, ILS NE FONT RIEN DE MAL, ILS SONT TROP CLASSE !

SURTOUT LEUR CHEF SHÔGO. IL A UN KUDAN SUPÉRIEUR !
UN KUDAN ÉNORME ET SUPER PUISSANT ! TOUT LE MONDE L'ADMIRE !
EUH...
ÇA SENT BON !
ZOUP
POUF
ROUGIT
EUH... EXCUSEZ-MOI !
MATE
HOP HOP
EH BEN, ON DIRAIT QUE TU FAIS PARTIE DE SES ADMIRA-TEURS !
MATE
OU... OUI !
IL Y A PLEIN DE CHOUX DEDANS !
MATE

MAIS J'ADMIRE AUSSI SHAOLAN !
HEIN ?
TOI AUSSI, TU AS UN KUDAN SUPÉRIEUR.
C'EST TRÈS RARE !
C'EST AUSSI CE QU'A DIT LE CHEF DE L'ÉQUIPE DES LUNETTES, NON ?
HM...
COMMENT ÇA...
SUPÉRIEUR ?
OUI, C'EST COMME ÇA QU'ON CLASSE LES KUDANS !

ÇA COMMENCE AU NIVEAU 4...
SUPÉRIEUR
NIVEAU 1
NIVEAU 2
NIVEAU 3
NIVEAU 4
APRÈS, ON MONTE AU NIVEAU 3, AU NIVEAU 2 ET AU NIVEAU 1...
ET ON ATTEINT LE NIVEAU SUPÉRIEUR.
LA CLASSIFICATION DU KUDAN A ÉTÉ ABOLIE DEPUIS LONGTEMPS PAR LE GOUVERNEMENT...
MAIS LES GENS S'EN SERVENT ENCORE.
AH BON...
ÇA VEUT DIRE QUE LE KUDAN DE CE CHEF DE BANDE EST PLUTÔT FORT, ALORS...
OUI, C'EST ÇA !

COMME CELUI DE SHAOLAN...
POUR AVOIR UN KUDAN DE NIVEAU SUPÉRIEUR, IL FAUT ÊTRE QUELQU'UN D'EXCEPTIONNEL.
LE KUDAN EST UNE ÉMANATION DE L'ÂME...
MAÎTRISER UN KUDAN PUISSANT EST UNE PREUVE DE QUALITÉ.
C'EST POUR ÇA QUE JE T'ADMIRE...
TANDIS QUE MOI...
JE SUIS NIVEAU 4, LE PLUS NUL, QUOI !
SNIF
MASAYOSHI...

AU FAIT, SHAOLAN, J'AIMERAIS BIEN SAVOIR QUAND EST-CE QUE TU AS EU TON KUDAN ?
ALLEZ ALLEZ ALLEZ
HUM...
EH BIEN, JUSTEMENT...
C'EST PRÊT !
UN RÊVE ?
CETTE NUIT, J'AI FAIT UN RÊVE...
CLING
ATTENDEZ !!!
QUOI!?
KYAA
ZAM

TSUKISHIRO
KINOMOTO
VOTRE MAJESTÉ !?
MONSIEUR LE PRÊTRE... ?

Chapitre 7 - La croisée des mondes

tsubasa
RESERVoir CHRoNiCLE

VOTRE MAJESTÉ ! QUE FAITES-VOUS ICI !?
HEIN ?
HEIN ?
QUOI !?
VOUS FAITES ERREUR, JE CROIS...
JE NE SUIS PAS VOTRE MAJESTÉ !
HEIN ?
MON-SIEUR
VEUILLEZ PATIENTER UN INSTANT, C'EST NOUS QUI ALLONS NOUS OCCUPER DE VOTRE OKONOMIYAKI !
AH ? BIEN...

VOTRE MAJESTÉ ? EH BIEN, QUELLE CLASSE !
N'IMPORTE QUOI !
KINOMOTO
TSUKISHIRO
ET L'AUTRE, C'EST LE PRÊTRE ?
DANS CE RESTAURANT, ILS SE CHARGENT DE FAIRE CUIRE L'OKONOMIYAKI JUSQU'A LA FIN. PAS LA PEINE DE S'EN OCCUPER...
AH BON ?
HOP HOP
C'ÉTAIT LE ROI DE TON PAYS ?
OUI...
IL S'EST FAIT GRONDER !
TA GUEULE, TOI !
C'EST CE QUE NOUS AVAIT DIT LA SORCIÈRE DES DIMENSIONS...
LES GENS QUE TU AS PU CONNAÎTRE...
MÈNENT UNE VIE PARALLÈLE DANS D'AUTRES MONDES...

OUI, MAIS SANS L'ÊTRE VRAIMENT...
? DITES... ? ?
CEUX QUI VIVENT DANS LE MONDE DE SHAOLAN MÈNENT UNE VIE DIFFÉRENTE.
TU VEUX DIRE QUE CEUX QUI VIVENT DANS LE MONDE DU GAMIN, SONT LES MÊMES QUE CES DEUX SERVEURS ?
MAIS À LA BASE...
IL ME SEMBLE
QU'ILS SONT PAREILS...
À LA BASE ?
OUI, LE CŒUR, SI TU PRÉFÈRES...
OU L'ESSENCE VITALE...
AH...
TU VEUX DIRE L'ÂME...

MOI AUSSI, JE VAIS T'APPELER VOTRE MAJESTÉ !
T'AS PAS INTÉRÊT !
EST-CE QUE LE ROI ET LE PRÊTRE VONT BIEN EN CE MOMENT ?
ET LE PAYS A-T-IL RÉSISTÉ À L'ATTAQUE ?
OUI...
JE SUIS CERTAIN QU'ILS S'EN SONT SORTIS...

JE FERA TOUT C QUI ES EN MO POUVOI
SAUVE LA PRIN-CESSE !
RETROUVE LES PLUMES DE MÉMOIRE DE SAKURA !

* SORTES DE BOULETTES GRILLÉES (YAKI), À BASE DE FARINE ET D'ŒUFS ET CONTENANT DIVERS INGRÉDIENTS QUI LUI DONNENT SON GOÛT SI CARACTÉRISTIQUE (PIEUVRE (TAKO), GINGEMBRE, POIREAU, ETC.).

BON...
QU'EST-CE QU'ON FAIT ALORS ?
J'AIMERAIS QU'ON CHERCHE ENCORE UN PEU DANS LE QUARTIER...
VOUS VOULEZ ALLER QUELQUE PART ?
OUI !
OÙ ÇA ?
ON NE SAIT PAS TROP. ON CHERCHE QUELQUE CHOSE...
HUM...
ÇA NE VA PAS ÊTRE FACILE, ON NE CONNAÎT PAS CET ENDROIT.
ON RISQUE DE NE PAS RETROUVER NOTRE CHEMIN POUR RENTRER...
AH, JE...
ALORS, JE VAIS VOUS AIDER !
JE VAIS VOUS GUIDER !
MAIS TU AS PEUT-ÊTRE D'AUTRES CHOSES À FAIRE...
NON, ÇA VA...
JE PASSE JUSTE UN COUP DE FIL À LA MAISON !
ATTENDEZ-MOI, J'EN AI POUR UNE SECONDE !
TAK

MOKONA AUSSI VEUT PASSER UN COUP DE FIL...
ALLÔ ALLÔ
TAP
TAP
ON DIRAIT QUE TU ES VRAIMENT SON HÉROS...
TU DISAIS QUOI TOUT À L'HEURE ?
TU AS FAIT UN RÊVE ?
OUI...
J'AI RÊVÉ DE CETTE CRÉATURE.
CETTE CHOSE DE FEU...
MATE
MOI AUSSI J'AI RÊVÉ D'UNE BÊTE ÉTRANGE...
EN FAIT, MOI AUSSI.
ELLE M'A MÊME PARLÉ...
TCHAK
QUI EST CELUI QU'ON NOMME SHAOLAN !?

C'EST À NOUS QUE VOUS PARLEZ ?
ALORS, C'EST TOI QUI AS TENU TÊTE À SHÔGO !?
ARF
ET SI C'ÉTAIT LE CAS ?
...

NON, C'EST MOI, SHAOLAN !
QUOI, CE GAMIN ?
C'EST PAS VRAI ?
MAIS SI, C'EST LUI ! IL N'Y A PAS D'ERREUR !!
TU VAS RENTRER DANS LA BANDE DE SHÔGO ?
SA BANDE ?
LA BANDE DE SHÔGO EST DÉJÀ TRÈS FORTE.
SI TU LES REJOINS, ON A PERDU D'AVANCE.
SI TU AS PU TENIR TÊTE À SHÔGO, ÇA VEUT DIRE QUE TU AS UN KUDAN PUISSANT.

ZOUM
CROIS-MOI, JE NE VAIS PAS TE LAISSER RENTRER DANS SA BANDE SANS RIEN FAIRE !
MAIS JE N'EN N'AI PAS L'INTENTION...
IL N'EN N'EST PAS QUESTION !
DU TAC AU TAC
IL ASSURE, SHAOLAN !
IL RÉPOND DU TAC AU TAC !
C'EST SUPER ! REJOINS-NOUS, ALORS !
HEIN ?
J'AI QUELQUE CHOSE D'IMPORTANT À FAIRE...
ALORS...
GRRRRRRRRRRRRRRRRRR
TU VAS MONTER TA PROPRE BANDE, C'EST ÇA !?
RHAAAAAAAAA
HEIN ?
MAIS NON, ENFIN...

JE VAIS T'EN EMPÊ-CHER !
WHA
OW
OUAH ! C'EST ÉNORME !

MAIS PUISQUE JE VOUS DIS QUE...
TAK

TCHAK TCHAK TCHAK TCHAK TCHAK TCHAK TCHAK
STOP
HUM...
HUM...
IL NE VEUT PAS CROIRE SHAOLAN !
TAP TAP
WHAA
TAP TAP TAP
WHAA
WHAA
TOK
ÇA TOMBE BIEN, JE COMMENÇAIS À M'ENNUYER.
CRAC

KUROGANÉ S'EST BEAUCOUP AMUSÉ AVEC MOI !

IL S'ENNUYAIT PAS DU TOUT !

IL S'ÉCLATE COMME UN FOU ICI !

VOUS ALLEZ LA FERMER UN PEU !

T'AIN, VOUS...

MAIS...

MAIS, MONSIEUR KUROGANÉ, VOUS N'AVEZ PLUS VOTRE SABRE ?

MON SABRE ÉTAIT UNE ARME PARTICU-LIÈRE...
FABRIQUÉE SPÉCIALEMENT POUR TERRASSER LES MONSTRES DE MON PAYS, LE JAPON.
UN KUDAN...
ÇA N'A RIEN À VOIR AVEC LES MONSTRES DE MON PAYS...
TON KUDAN EST DE QUEL NIVEAU ?
PFF
JE SAIS PAS ET JE M'EN FOUS !
FERME TA GRANDE GUEULE ET AMÈNE-TOI UN PEU !

SHAO-LAN !
WHAAA
AH MASAYOSHI ! TU LES CONNAIS, EUX ?
C'EST UNE ÉQUIPE QUI CHERCHE À PRENDRE LE CONTRÔLE DU QUARTIER. EN FAIT, NOUS SOMMES SUR LE TERRITOIRE DE SHÔGO, ICI !
ET IL EST FORT, LUI ?
IL A UN KUDAN DE NIVEAU 1.
MÊME S'IL NE PAYE PAS DE MINE, SON KUDAN EST TRÈS RAPIDE !
ET CE N'EST PAS TOUT...
PRENDS ÇA ! TU VAS REGRETTER D'AVOIR VOULU AFFRONTER MON KUDAN !

FLAP
FRICASSÉE DE CRABE !
CHAK
T
CRiiii
iL A TRANCHÉ LE PiLiER ?
OUi, CE KUDAN PEUT PRENDRE LA FORME D'UNE ARME TRÈS TRANCHANTE.

SHHHRAAAAAAAAA
BROUM
ALLEZ ! ALLEZ !
TAP TAP TAP TAP
TAK
FLAP
PAF
ATTEN-TION !
SI TU AIDES KUROGANÉ, ÇA VA LE METTRE EN COLÈRE...
C'EST SÛR...

BISQUE DE CRABE !!
DZIII
MONSIEUR KUROGANÉ !
ALORS, ET TON KUDAN ?
IL EST SI NUL QUE TU N'OSES MÊME PAS LE MONTRER ?
HA HA
NHA HA
CRAC CRAC

TA GUEULE !
CRAC
TU PARLES TROP !
MON KUDAN FAIT PARTIE DES PLUS PUISSANTS QUI EXISTENT !
BRAVO, CHEF !
PEUT-ÊTRE, MAIS IL A UN POINT FAIBLE...
HAA
SI J'AVAIS MON SABRE, ÇA SERAIT DÉJÀ FINI.

ZU ZU
ZU ZU
!!

ZUZU
ZU
QUOI !?
JE T'AI VU EN RÊVE, TOI !

TU VEUX TE BATTRE À MES CÔTÉS ?
TOI AUSSI...
ÇA TE DÉMANGEAIT, HEIN ?
TZCHIK

ALORS. C'EST DONC ÇA, TO KUDAN C'EST RIEN QUE DE L'ES BROUFE !
DZIING
PRÉPARE-TOI, VOICI MON ATTAQUE SPÉCIALE !
CRABE À VOLONTÉ !
SA CARAPACE EST PEUT-ÊTRE TRÈS SOLIDE ET TRÈS TRANCHANTE...
MAIS COMME CELLE DE TOUS LES CRABES, ELLE A DES ARTICULATIONS.

ATTAQUE
DU ROI
DRAGON
!

RHA
AAAA
!

ÇA VA ?
CHEF, ÇA VA ?
WHAA
MON
WHAA WHAA
ALORS, IL... A DÉJÀ FORMÉ SA BANDE !
TU FAIS PARTIE DE L'ÉQUIPE DE SHAOLAN, TOI !
JE NE SUIS SOUS LA BANNIÈRE DE PERSONNE !
DE MA VIE...
JE N'AI EU, ET JE N'AURAI QU'UN SEUL MAÎTRE !

PRIN-
CESSE
TOMO-
YO...

Chapitre 8 - Le pays des dieux

CLAC
NOUS SOMMES RENTRÉS !
SI
COU-COU !
BON-SOIR !
BON-SOIR TOUT LE MONDE !
EST-CE QUE VOUS AVEZ TROUVÉ UNE PISTE ?
TAP TAP TAP
OUI !
HÉ, TOUT LE MONDE EST DÉJÀ LÀ ?
ALORS, QUELLES NOU-VELLES ?

ATTEN-
DEZ...
AVANT
TOUT...
CHÉRIE
!
JE
VEUX MON
BISOU DU
SOIR
!
LÀ !
LÀ !
JE
VOIS...
VOUS ÉTIEZ
TRÈS PRÈS
DU BUT
!

AÏE AÏE
ET...
VOUS DITES QU'UN MONSTRE DE FEU APPARTENANT À SHAOLAN EST APPARU AU MOMENT CRITIQUE.
QUELLE BOSSE ! TU ES SUPER FORTE, ARASHI !
AHIRU
OUI !
ALORS, C'EST ÇA QU'ON APPELLE LE KUDAN ?
BOING
OUAIS !
EN PLUS, C'EST UN KUDAN EXCEPTIONNEL...
MAIS CELUI DE KUROGANÉ EST PAS MAL AUSSI...
COMMENT TU PEUX EN ÊTRE SI SÛR ?

VOUS SAVEZ...
SI JE M'INTÉRESSE AUTANT À L'HISTOIRE...
C'EST SURTOUT À CAUSE DU KUDAN !
MA THÉORIE...
C'EST QUE LES KUDANS SONT, EN QUELQUE SORTE, LES DIEUX DE CE PAYS...
UN DES MYTHES FONDATEURS DE L'HISTOIRE DE LA RÉPUBLIQUE DE HANSHIN...
C'EST QU'IL EXISTERAIT PAS MOINS DE HUIT MILLIONS DE DIVINITÉS !
HANSHIN
8 000 000
LA VACHE !
ÇA FAIT BEAUCOUP !
HUIT MILLIONS DE DIEUX ! EH BEN DIS DONC !
Y A PLEIN DE DIEUX ICI !
ET MÊME PLUS ENCORE !
IL Y AURAIT AUTANT DE DIEUX QUE DE CHOSES ET DE PHÉNOMÈNES...
8 MILLIONS, C'EST UNE MANIÈRE SYMBOLIQUE DE SIGNIFIER L'INFINI.

VOUS PENSEZ QUE CE SONT CES DIEUX QU'ON APPELLERAIT KUDAN !?
LES HABITANTS DE HANSHIN SONT TRÈS PROCHES DES DIEUX, ALORS...
C'EST FOU, ÇA !
EN D'AUTRES TERMES...
LES DIEUX DE CE PAYS PROTÈGENT CHAQUE HABITANT !
HA
C'EST VRAIMENT CE QUE VOUS CROYEZ ?
ÇA A TOUJOURS ÉTÉ MA CONVICTION.
NOUS AVONS LA CHANCE DANS CE PAYS D'ÊTRE SOUS LA PROTECTION D'ESPRITS BIENVEILLANTS...

* DANS LA RÉALITÉ, LES SUPPORTERS DE BASE-BALL DE LA RÉGION DE HANSHIN SONT CONNUS POUR SE JETER À L'EAU APRÈS CHAQUE VICTOIRE.

ALORS, COMME ÇA, TU AS RESSENTI LA PRÉSENCE D'UNE PLUME, MAIS VOUS NE L'AVEZ PAS TROUVÉE ?
SNIF
MOUI...
SI LA PLUME ÉTAIT SIMPLEMENT POSÉE DANS UN COIN, OU SI ELLE ÉTAIT PORTÉE PAR QUELQU'UN...
VOUS AURIEZ CERTAINEMENT PU LA TROUVER SANS PROBLÈME
ET SI CETTE PLUME ÉTAIT PORTÉE PAR...
QUELQU'UN OU QUELQUE CHOSE SUSCEPTIBLE DE DISPARAÎTRE ?

QUOI ?
UN KUDAN !?
JE N'Y AVAIS PAS PENSÉ, MAIS C'EST VRAI QU'UN KUDAN, ÇA APPARAÎT ET DISPARAÎT À VOLONTÉ !
D'ACCO-OOOORD !
ET C'EST POUR ÇA QUE L'ÉNERGIE A DISPARU D'UN COUP...
LA PLUME DE SAKURA...
ELLE EST DANS UN KUDAN !
MAIS ON N'A AUCUNE IDÉE DE QUEL KUDAN IL S'AGIT...
C'EST VRAI, C'ÉTAIT LE FOUTOIR !
IL Y AVAIT PLEIN DE KUDANS À CE MOMENT-LÀ !

DÉJÀ...
ON PEUT ÊTRE SÛR QUE C'EST UN KUDAN TRÈS PUISSANT !
COMMENT TU SAIS ÇA, TOI ?
LES PLUMES DE MÉMOIRE DE SAKURA...
SONT DES ARTEFACTS CHARGÉS D'UNE TRÈS GRANDE ÉNERGIE...
LE KUDAN SE CONTRÔLE AVEC L'ES-PRIT...
SI L'ESPRIT EST FORT, LE KUDAN L'EST AUSSI !
C'EST SIMPLE, ALORS...
IL NE NOUS RESTE PLUS QU'À CHERCHER CEUX QUI ONT LES KUDANS LES PLUS PUISSANTS !
OUI
MOKONA VA FAIRE DE SON MIEUX !

* RIZ VINAIGRÉ ENVELOPPÉ D'UNE ÉCORCE PANÉE.

PRINCESSE ? EST-CE QUE ÇA VA ?
JE T'AI DÉJÀ DIT DE NE PAS M'APPELER PRINCESSE !
RHAAA
RHAAA
DÉSOLÉ PRIN...
EUH... EUH...
DÉ-SO-LÉ !
MAIS TU ES SÛRE QUE ÇA VA ?
MAIS OUI !
HE HE
J'AI UN PEU DE FIÈVRE, C'EST TOUT...
LE MÉDE-CIN M'A DIT QUE J'AVAIS JUSTE BESOIN D'UN PEU DE REPOS.
MAIS...
SI TU VEUX...

JE VEUX BIEN QUE TU ME DONNES LA MAIN.
JE SUIS SÛRE QUE ÇA ME FERA GUÉRIR PLUS VITE !
TU VEUX BIEN ?
EH...
IL FAUT QUE TU DORMES !
TU RESTES PRÈS DE MOI ?
OUI !

SI JE M'EN-DORS...
LA PREMIÈRE PERSONNE QUE JE VERRAI, QUAND JE ME RÉVEIL-LERAI...
CE SERA TOI, SHAO-LAN !

POUR QUE SAKURA SE RÉVEILLE ...
JE DOIS RETROU-VER SES PLUMES !
LE PLUS VITE POSSI-BLE !

OUAIS... LE PROBLÈME, C'EST QUE LES GENS NE SORTENT PAS LEUR KUDAN SANS RAISON !
IMPOSSIBLE DE SAVOIR QUI A UN KUDAN PUISSANT !
ET PUIS...
SI ON TROUVE CE FAMEUX KUDAN, CELUI QUI A CETTE PLUME...
JE NE SAIS PAS S'IL NOUS LA DONNERA COMME ÇA...
BLOOP
WHA !
COURBETTE

TAP TAP TAP TAP TAP
SHAO-LAAA-AAAN !
MASA-YOSHI ?
POUF
HAA HAA
EST-CE QUE VOUS AVEZ TROUVÉ CE QUE VOUS CHERCHIEZ ?
NON, PAS ENCORE...
ALORS, LAISSEZ-MOI VOUS SERVIR DE GUIDE !
TU ES SÛR ?
BOING
OUI !
AUJOURD'HUI, C'EST DIMANCHE, JE SUIS LIBRE TOUTE LA JOURNÉE !
MAIS COMMENT EST-CE QUE TU NOUS AS TROUVÉS ?
MON KUDAN PEUT LOCALISER LES GENS QU'IL A VUS AU MOINS UNE FOIS...
JE N'AI PAS LE DROIT D'ALLER TROP LOIN NON PLUS, MAIS...
MAIS C'EST SUPER, COMME POUVOIR !
C'EST SUPER ! C'EST SUPER !
NON... PAS VRAIMENT... IL NE SAIT FAIRE QUE ÇA, ET IL EST ASSEZ FAIBLE, EN PLUS.

KYA !
WHAA !

MOKONA ! MASAYOSHI !
FLAP
HA
RENDEZ-VOUS AU CHÂTEAU DE HANSHIN
DAM

Chapitre 9 - Le kudan du magicien

FLAP
MONSIEUR FYE !
MONSIEUR KUROGANÉ !
REGARDEZ !
!?
ILS ONT LAISSÉ UNE LETTRE !
RENDEZ-VOUS AU CHÂTEAU DE HANSHIN
ILS ONT EMMENÉ MOKONA ET MASAYOSHI DANS CE CHÂTEAU !

今◎△×鳥■◎何
飛◆◎連××?
BLA BLABLABLA
КЦФ!!ЖЭф$Ы
Ю□ЧюЭЪП<У
HEIN !?

TOK TOK
ЩЬКФб!? #щЪ@ЛЖ
阪神城■◎行××▲!?
C'EST ÉTRANGE, JE LES ENTENDS PARLER...
Д8Чю
HEIN?
HEIN?
違◎!
MAIS JE NE COMPRENDS PLUS CE QU'ILS DISENT...
POURTANT, RIEN N'A CHANGÉ PAR RAPPORT À AVANT...
?

MOKONA !
KYAA

ZAAA AM
OUIIIIN
KYA KYA
VOUS ÊTES SÛRS QUE C'EST LUI...
CELUI QUE SHÔGO A DÉFIÉ ?
ÇA NE PEUT ÊTRE QUE LUI...
IL ÉTAIT ACCOMPAGNÉ D'UN HOMME HABILLÉ EN NOIR ET D'UN AUTRE AUX CHEVEUX BLONDS.
DONC ...
D'APRÈS NOS INFORMATIONS, LE GAMIN QUI LES ACCOMPAGNE, C'EST FORCEMENT SHAOLAN !
C'EST SÛR ET CERTAIN !
BINGO
BINGO
BINGO
AH BON ?

GRAT GRAT
面倒◎▲!
ЖЪФЛ
JE COMPRENDS RIEN...
PLAN DE HANSHIN
MÉTRO – STATION DU CHÂTEAU DE HANSHIN
CHÂTEAU DE HANSHIN
NOUS SOMMES ARRIVÉS AU CHÂTEAU !
TAPATAPATAPATA
ENTRÉE D CH EAU

OUIIIIIIIN
MO-KO-NA!
MA-SA-YO-SHI!
ILS SONT LÀ-HAUT!
ET, EN PLUS, ON DIRAIT QU'ELLE S'ÉCLATE...
C'TE BOULE DE POILS!
AH...
HÉ, JE COMPRENDS C'QUE VOUS DITES!
OUI...
ÇA Y EST... ON PEUT SE PARLER À NOUVEAU!
ALORS, C'EST GRÂCE À MOKONA...

IL NOUS SERVAIT DE TRADUCTEUR...
UN MOKONA QUI SE BALANÇAIT SUR UNE TOILE TOILE TOILE D'ARAIGNÉE !!!!
EH BÉ, ON N'EST PAS AU BOUT DE NOS SURPRISES AVEC CE MOKONA...
IL NOUS TRANSPORTE DE DIMENSION EN DIMENSION, IL FAIT INTERPRÈTE, IL GOBE LES POMMES...
ALORS ...
ÇA VEUT DIRE QUE SI ON S'ÉLOIGNE DE LUI À NOUVEAU, ON NE SE COMPRENDRA PLUS ?
FAUT CROIRE, OUI !
DAM
QUELLE GALÈRE !
DAM DAM DAM

C'EST QUOI ÇA ?
POURQUOI IL Y A AUTANT DE MONDE ?
BROUHAHA
BROUHAHA
DOM
QUI A ÉCRIT CETTE LETTRE !?
C'EST MOI !
RENDEZ-VOUS AU ...

* CHAN EST UN SUFFIXE QUI SE PLACE DERRIÈRE UN NOM OU UN PRÉNOM POUR SIGNIFIER UNE AFFECTION PARTICULIÈRE ENVERS LA PERSONNE.

LIBÉREZ TOUT DE SUITE MOKONA ET MASAYOSHI !
ZAAAM
NON, SHAOLAN, C'EST MOI !
OUIII
BEN, C'EST PAS SHAOLAN, LUI ?
BANDE D'IDIOTS !
PLAF PLAF PLAF PLAF
COUPS À LA CHAÎNE
VOUS ÊTES COMPLÈTEMENT NULS !
AÏE AÏE
VOUS ME CHERCHIEZ ? EH BIEN, JE SUIS LÀ !
ALORS, LIBÉREZ MES AMIS !
PAS QUESTION !
ZOUB

WHOOA
PRIMERA-CHAN !
SI TU VEUX QUE JE TE LES RENDE, TU DOIS D'ABORD TE BATTRE AVEC MOI !
PRIMERA-CHAN !
AAAAAAA
PRIMERA-CHAN !
QU'ELLE EST BEEEE-EELLE !
VOS RH GUEU-AA LES !
LOVE
FAUT QUE JE TROUVE UN MOYEN D'ALLER LÀ HAUT !
MOI, JE PENSE QUE JE POUR-RAIS...
NON...
VOUS SAVEZ OÙ EST L'ESCALIER ?
MAIS JE SUIS SÛR D'Y ARRIVER QUAND MÊME...
ET COMMENT TU VAS FAIRE ÇA ?
JE VAIS DEMANDER UN COUP DE MAIN À MON KUDAN !

FAAAAASSH

FUWAA
FLOU

IL VOLE !
C'EST VRAIMENT TOUT ET N'IMPORTE QUOI, CES KUDANS...
HMPFF
GRRR
C'EST PAS JUSTE, T'AS PAS LE DROIT DE VOLER !

ALLEZ, MON P'TIT KUDAN, COME ON !
DING
DING
DING
DING
DING
DING
DING
DING
DING
ET SI JE T'AT-TAQUAIS AVEC MON KUDAN, POUR VOIR !!
TCHAK

ALORS...
ÇA VA, TOUT LE MONDE ?

* LES LETTRES PROJETÉES PAR PRIMERA-CHAN SONT COMME DES PROJECTILES ET FORMENT LA PHRASE : ÇA VA TOUT LE MONDE ?

BOOOUM
MONSIEUR FYE !

Chapitre 10 - Où est la plume ?

REGARDE BIEN...
HE
HEIN !?
FIIOUUUUU
DAAAAM
TRÈS SURPRE-NANT !
ÇA AUSSI C'EST UN KUDAN ? IL EST VRAIMENT INCROYABLE, CE PAYS !
JE SUIS SÛR QUE ÇA A BEAU-COUP PLU À MO-KONA...
BRAVO BRAVO !!!
PRIMERA-CHAN A UN KUDAN DE NIVEAU SUPÉRIEUR. FAITES ATTENTION !

HMPF
TU M'ÉNER-VES !
FLAP FLAP
MAIS BON...
JE NE PER-DRAI PAS !
QUAND PRIMERA-CHAN S'ÉNERVE, LES LETTRES DE SES PHRASES SONT ÉPARPILLÉES AUTOUR D'ELLE.
DA BOUM
ARRÊTE DE VOLER !
ARRÊTE DE BOU-GER !
BOUM

ARRÊTE DE FUIR !
TOP
POUR-QUOI...
POUR-QUOI JE N'ARRIVE PAS À TE TOUCHER ?!

PARCE QUE TES ATTAQUES ONT L'AIR DE FAIRE MAL ET JE PRÉFÈRE LES ÉVITER !
NYARK
GRRRRRR
NATE
NATE
WHAAOU
WHAAOU
SHAOLAN, TU CHERCHES QUOI, LÀ ?
WHAAOU
JE VEUX ALLER EN HAUT POUR LES LIBÉRER !
ET POUR AIDER MONSIEUR FYE AUSSI !
JE PENSE QU'IL SE DÉBROUILLE TRÈS BIEN TOUT SEUL...
PFF
VLAAN
LES CHAUSSETTES DE L'ARSIDU-SESSE SONT-ELLES SÈCHES... ?

DAM
DAM DAM DAM DAM
UN CHASSEUR SACHANT CHASSER CHANS CHON CHIEN...
* LORSQUE PRIMERA SE TROMPE DANS SA PHRASE, SES "MOTS PROJECTILES" SONT INEFFICACES.
miss
** CHASSER CHANS CHON...
PRI-MERA-CHAN !
T'ES MIGNONNE, MÊME QUAND TU TE TROMPES !
COMME MOI AUSSI, J'AI COMBATTU AVEC MON KUDAN...
JE SAIS QUE MÊME SI SON KUDAN LUI PERMET DE VOLER, SA FORCE PHYSIQUE RESTE LA MÊME...
BOUM
VOUS VOULEZ DIRE QUE FYE ESQUIVE SEUL TOUTES CES ATTAQUES ?
*** CI-DESSOUS, LES LETTRES ÉPARPILLÉES DE : TROIS TORTUES TROTTAIENT SUR TROIS TOITS ÉTROITS.
ZAM
POUYYY
PIANO PANIER PIANO PIANER
TROIS TORTUES TROTTAIENT SUR TROIS TOITS TRÈS ÉTROITS
OUAIS...

BABANG
BABADAM
BABANG
BABADAM
BABANG
BABADAM
IL NE PAYE PAS DE MINE COMME ÇA...
MAIS ON VOIT TOUT DE SUITE QU'IL SAIT SE BATTRE...
BOUM
OUI, C'EST VRAI...
TU AVAIS REMARQUÉ, TOI AUSSI ?
HM... ?
WHAAOU
WHAAOU
IL Y A DES PETITES CHOSES QUI NE TROMPENT PAS...
ET PUIS...
JE L'AI VU DANS SES YEUX...
......

PRI-MERA-CHAN !
WHAA WHAA
MAIS SI JE POUVAIS, J'IRAIS L'AIDER !
TU N'ES PAS UN IMBÉCILE, TOI !
WHAAOU
MAIS BON...
IL TE RESTE QUAND MÊME PAS MAL DE CHOSES À APPRENDRE, GAMIN !
PUISQUE C'EST COMME ÇA, TRANSFORMATION !
PRIMERA ! PRIMERA !
LOVE
VUUM
BOOOO

ALLEZ MON P'TIT KUDAN, TRANSFORMATION !
MAINTENANT QUE MON KUDAN EST PASSÉ EN MODE MICRO-À-PIED...
TU ES FICHU !!
DUDUDUM
DZOUM
TOUT LE MONDE M'ADOOOO-OOOOOO-OORE !!
* TOUT LE MONDE M'ADOOOOOOORE.

VOUM
HOP
HI HI
YEAH !!

* TOUT
LE MONDE
M'ADOOOOOO-
OOOOOORE

FLASH
MONSIEUR FYE !!
BENG
TCHAK
MONSIEUR FYE !
COUCOU
CRAC
TOUT VA BIEN !

ET IL PEUT SE TRANSFORMER, EN PLUS !
J'AURAIS JAMAIS CRU !
PAF PAF
ELLE A BEAU UTILISER SON KUDAN, MOKONA NE RÉAGIT PAS !
ON DIRAIT QU'ELLE N'A PAS LA PLUME DE SAKURA...
UN P'TIT MOKONA PENDU AU PLAFOND...
TOURNICOTE
SNIF SNIF
HI HI !
ALORS ?
TU ADMETS TA DÉFAITE ?
ET SI C'ÉTAIT LE CAS ?
ALORS, CE SERAIT À SHAOLAN DE M'AFFRONTER !
C'EST EMBÊTANT, ÇA...
SHAOLAN A DES CHOSES PLUS IMPORTANTES À FAIRE !

* QUE TU GAGNES CONTRE MOI

TATATAP
HEIN !?

JE NE VOUDRAIS PAS BLESSER UN SI JOLI VISAGE...
ON S'AR-RÊTE LÀ ?

HUF
TU...
TU M'ÉNERVES !
DABADAM
* TU M'ENERVES
BOUM
ZUT
PIOUUU
YOU-HOUUU !
WHAAAAA !

ATTEN-
TION
!!
CALLING
!
BOIIING
POU

QU'EST-CE QUE TU FICHES, PRIMERA ?
SHÔGO !
BLOP

Chapitre 11 - Le kudan de feu

tsubasa
RESERVoir CHRoNiCLE

À QUOI TU JOUES, PRIMERA ?
T'ES UNE CHANTEUSE, NON ?
ET TON CONCERT, ALORS ?
C'EST LUI, LE CHEF DE BANDE QUE J'AI AFFRONTÉ !
SIIIII ! MAIS... SHÔGO, POURQUOI TU NE PASSES PAS PLUS SOUVENT ME VOIR ?!
ET PUIS J'AI L'TEMPS ! LE CONCERT A LIEU JUSTE À CÔTÉ, DANS LE HANSHIN DOME
ADMETTONS, MAIS POURQUOI...
AS-TU DÉTRUIT CE MONUMENT HISTORIQUE ?
MOI, JE M'EN FOUS, MAIS TU VAS TE FAIRE ENGUEULER !
FLAAP

KWAA ?
DE QUOI JE ME MÊLE ? TU PASSES TON TEMPS À TOUT CASSER TOI AUSSI !
QU'EST-CE QUI LEUR PREND À CES DEUX-LÀ ?
HM.. ?
POUF
HEIN ?
HEIN ?
SNIF
SNIF
SNIF
SNIF
SNIF
SNIF
LOVE
TIENS...
MAIS VOUS EN FAITES UNE TÊTE !
BOUHOUUUU
PRIMERA EST AMOUREUSE DE LUI !
PRIMERA-CHAN !
MAIS...
IL NE VIENT JAMAIS LA VOIR, C'EST TRISTE !
BOUUUHOOUUU

* SHONEN MAGANIAN FAIT RÉFÉRENCE AU SHONEN MAGAZINE JAPONAIS DANS LEQUEL EST PUBLIÉ TSUBASA.

FLAAAP
ON M'A DIT QU'IL SE PASSAIT QUELQUE CHOSE DE GRAVE ! SI J'AVAIS SU QUE C'ÉTAIT ÇA...
J'AI PAS QUE ÇA À FAIRE ! QUAND J'AI PAS COURS, JE DOIS AIDER AU MAGASIN DE MES PARENTS !
LÀ, J'ÉTAIS JUSTEMENT EN TRAIN DE FAIRE UNE LIVRAISON...
ASAGI VENTE DE SAKÉ
ET TU LE SAIS BIEN, D'AILLEURS... TU HABITES DANS LE QUARTIER...
BOUMH
JE M'EN FICHE, TU ME MANQUES QUAND MÊME !
EN PLUS, C'EST...
IDIOTE !
MÊME PAS LUI !
BOING
TOK
C'EST POUR ÇA QUE J'AI ATTRAPÉ SHAOLAN. IL PARAÎT QU'IL TE PLAÎT, CE GAMIN. JE VOULAIS LE FAIRE RENTRER DANS MON FAN-CLUB POUR QUE TU PASSES PLUS SOUVENT...
OUIIII-IIIIN !

SHAOLAN ! SHAOLAN !
BOING
BOING
BOING
MOKONA, TES YEUX !
UNE PLUME !
IL Y A UNE PLUME PRÈS D'ICI !
BOING
BOING
OÙ ÇA !?
QUI EST-CE QUI L'A ?
MOKONA NE SAIT PAAAAAAAS !
MAIS MOKONA A SENTI UNE PRÉSENCE TRÈS FORTE...

ALORS, CETTE PLUME SERAIT ACCROCHÉE À UN KUDAN... ?
ELLE DEVRAIT ÊTRE STABLE...
MAIS...
ALORS POURQUOI EST-CE QUE SON ÉNERGIE VARIE AUTANT ?
SORATA A DIT QUE LE KUDAN EST UNE FORCE QUI PROTÈGE LES GENS...
ÇA VOUDRAIT DIRE QU'UN KUDAN DÉPLOIE SON ÉNERGIE QUAND IL DOIT PROTÉGER SON MAÎTRE.
MAIS ALORS...
LE SEUL MOYEN DE LA LOCALISER, C'EST DE SE BATTRE !

EXCUSE-MOI, SHAOLAN... C'EST À CAUSE DE MOI QUE TU AS TOUS CES ENNUIS...

MAIS POURTANT...

QUAND J'AI DIT QUE TU ME PLAISAIS, JE LE PENSAIS.

TU ES FORT !

HÉ

TOP

JE NE PARLE PAS DE TES MUSCLES, MAIS DE LA FORCE QUE TU AS EN TOI...

ÇA ME PLAIRAIT PAS MAL DE ME BATTRE CONTRE TOI...

ET TON KUDAN.

SHÔGO, ESPÈCE D'IMBÉCILE ! TU PRÉFÈRES TE BATTRE AU LIEU DE T'OCCUPER DE MOI ?!

FERME-LA !

JE T'AI PAS SONNÉ, TOI...

TRÈS BIEN...

FFFF

PROF

J'AC-CEPTE...
LE COMBAT !

LES GARS, NE VOUS AVISEZ PAS DE VOUS MÊLER DE ÇA !
FOWOOO !!
JE PARIE 3 000 TIGRONS SUR SHÔGO !
2 000 SUR SHAOLAN !
COMME JE TE L'AI DIT DANS MON RÊVE, J'AI BESOIN DE TA FORCE...
POUR SAUVER SAKURA !
READY !
TU ES PRÊT À TE BATTRE AVEC MOI ?
RRRRR
ZAAAH

GO !!
BOUM

BROUM
BROUM
AT-
TEN-
TION
!

PFIOU
QUELLE CLASSE...
CE SHAOLAN !
TAP
IL CACHAIT BIEN SON JEU, LE GAMIN !
ET PUIS, IL T'A GRILLÉ, TU SAIS. IL A VU DEPUIS LONGTEMPS QUE TU N'ÉTAIS PAS UN TYPE ORDINAIRE...
OUI...
C'EST LOIN D'ÊTRE UN SIMPLE PETIT ARCHÉOLOGUE...
C'EST ENCORE UN ENFANT...
MAIS IL A DÛ TRAVERSER BIEN DES ÉPREUVES...
LUI AUSSI.

MOKONA !
EST-CE QUE TU RESSENS QUELQUE CHOSE ?
OUI, UN PEU, MAIS MOKONA NE SAIT PAS D'OÙ ÇA VIENT...
NON NON !
POUR EN SAVOIR PLUS, IL FAUT QUE SHÔGO DÉPLOIE TOUTE SON ÉNERGIE !
JE NE SUIS PAS SÛR QUE LA PLUME SOIT DANS SON KUDAN...
MAIS JE SAIS QU'IL EN A UN TRÈS PUISSANT...
POF
J'EN AURAI LE CŒUR NET !

J'AURAI CETTE PLUME COÛTE QUE COÛTE !

GAN
GAN
GAN
GAN
GAN
BOUM
SHÔGO
!

PLOOOOOF
PLIC
PLOC
LA VACHE !
C'EST LA PREMIÈRE FOIS QU'ON M'ENVOIE VALSER COMME ÇA !
TOK
SHÔGO !
TOUT VA BIEN, JE TE DIS ! ALORS ARRÊTE UN PEU DE CRIER !
TU VAS TE CASSER LA VOIX !
SI C'EST COMME ÇA, JE NE M'INQUIÉTERAI PLUS POUR TOI !
GRRRR
ET, EN PLUS, TU CASSES TOUT !
GRRRR
QU'ELLE EST BELLE !
PRIMERA
HOP
HOP

TU ES VRAIMENT FORT, SHAOLAN !
LE KUDAN EST LE REFLET DE LA FORCE MENTALE...
JE ME DEMANDE OÙ TU PUISES CETTE FORCE...
C'EST PARCE QUE J'AI UNE TÂCHE À ACCOMPLIR !
JE VOIS...

ALLEZ, ON SE REPLIE !
ZA
FOWOOO
SET !
GO !!
FLOC
SPLASH
BROOOOO

BRR
RR
RR
RR
RR

SHAO-
LAN
!!

GLOU GLOU GLOU GLOU
C'EST TERRIBLE !
SHAOLAN S'EST FAIT ENGLOUTIR !
JE DOIS Y ALLER !
EUH...
EUH...
PLOUF
PSH
MAIS NON, REGARDE !
HEIN ?

INCROYABLE...
GNU
IL VIENT D'UN AUTRE PAYS, ET POURTANT...
IL MAÎTRISE DÉJÀ PARFAITEMENT SON KUDAN...
PLOF
MOI AUSSI...
JE VEUX ÊTRE FORT !

FORT...
PSHIIIII
COMME LUI !
GN GN

CRAC
CRAC
ATTEN-TION !!
BOOM
KYA AA !
NON !
JE NE DOIS PAS M'ENFUIR !
SHLAP
JE LA PRO-TÉGERAI !

JE VAIS DEVENIR FORT !!!

CRR
GNEEEE ?
CRR
BLOP
LÀ ! UNE PLUME !!
À L'INTÉRIEUR DE CE KUDAN !

Chapitre 12 - La preuve du guerrier

QUOI, LA PLUME EST VRAIMENT LÀ... ?
DANS CE KUDAN ?
BROUM BROUM
MAIS OUI ! QUAND IL UTILISAIT SON KUDAN POUR NOUS RETROUVER, MOKONA NE POUVAIT PAS LE DÉTECTER...
CAR LE VRAI RÔLE DU KUDAN, C'EST DE PROTÉGER SON PROPRIÉ-TAIRE.
C'EST QUAND IL EST EN SITUATION CRITIQUE QUE LE KUDAN DÉPLOIE TOUTE SON ÉNERGIE.

LA PREMIÈRE FOIS QUE MOKONA A CAPTÉ SON ÉNERGIE...
C'EST QUAND MASAYOSHI ÉTAIT EN DANGER...
CRAC CRAC
LAISSE-LE TRANQUILLE !
PIF PAF
ET, MAINTENANT, IL ESSAYE DE LE PROTÉGER DE L'ÉBOULEMENT...
ZU ZU ZU
GROOOOOOOO
LA PLUME DE SAKURA...
ELLE EST DANS LE KUDAN DE MASAYOSHI !

PLOUYUUUUUU
HYAAA AAAA !
BLAM BLAM
PRIMERA-CHAN !!

PLAF
SHÔGO !
BOUUH
ALLEZ, ALLEZ !
PFIOU
J'AI EU SI PEUR !
MOKONA VEUT UN CÂLIN AUSSI !
GNN
GNU
DIOUUU
BAM
OUI, MOI AUSSI, IL M'A SURPRIS !
IL EST ÉNORME CE KUDAN !

PLOUF
JE... JE VAIS BIEN !
REDEVIENS COMME AVANT !
BOUM
BOUM
QU'EST-CE QUI LUI ARRIVE À CE KUDAN ?
L'ÉNERGIE DE LA PLUME EST TROP PUISSANTE POUR LUI...
MASA-YOSHI NE CON-TRÔLE PLUS RIEN !
ARRÊTE-TOI !
QU'EST-CE QUE TU COMPTES FAIRE ?
HM...

JE VAIS RÉCUPÉRER LA PLUME DE SAKURA...
ET TU VAS FAIRE QUOI ? TE BATTRE CONTRE ÇA ?
SI TU TE RATES, TU ES MORT !
JE NE MOURRAI PAS !
J'AI QUELQUE CHOSE D'IMPORTANT À TERMINER, JE NE MOURRAI PAS !

TRÈS BIEN...
TU PEUX Y ALLER ! KUROGANÉ COUVRE TES ARRIÈRES !
QUOI ?
J'AI JAMAIS DIT ÇA !
J'Y VAIS...

ZA
M
İL EST FORT, CE SHAOLAN !
DANS TOUS LES SENS DU TERME !
BOUM
JE CROIS SAVOIR POURQUOI İL A EU CE KUDAN...
CE KUDAN DE FEU...

CLING
AR-
RÊTE
!
MAIS
ARRÊÊÊ-
ÊTEUH
!!
PLOUF
ÇA
BRILLE
!?
BOUM
BOUM
BOUM
TOK
HA?
SHAO-
LAN
!

JE T'AVAIS DIT QUE J'ÉTAIS À LA RECHERCHE DE QUELQUE CHOSE...
EH BIEN...
CE QUE JE CHERCHE EST À L'INTÉRIEUR DE TON KUDAN !
HEIN...
C'EST ÇA !?
ZAM
JE VOUDRAIS LE RÉCU-PÉRER...

OUI... MAIS JE NE PEUX PLUS CONTRÔLER MON KUDAN !
SI TU T'AP-PROCHES, IL VA TE FAIRE DU MAL !!

GRU GRU GRU
AH, MON KUDAN ! IL BRÛLE !
BROUUUUUUUUM
ARRÊTE ! NE FAIS PAS DE MAL À SHAO-LAN !!!

PSHAAAAAAAA
PSH
SHAO-LAN...
BLOP BLOP BLOP BLOP
PSH
NE MEURS PAS !

SHAO-
LAN
!
BLAM
SHAO-
LAN...
ÇA
BRÛLE
!
HEIN ?

BROUUUUM
MASA-YOSHI ?!
VAS... VAS-Y, PRENDS-LE !
SI CE QUE TU VOULAIS EST À L'INTÉRIEUR DE MON KUDAN...
ALORS JE VEUX TE LE DONNER... !
CRATCH CRATCH
C'EST PAS GRAVE SI ÇA BRÛLE UN PEU !!

PRENDS-
LE
!!!

TOP
LE KUDAN D'EAU DE SHÔGO...

ZAAAAAAAAA
JE N'ALLAIS QUAND MÊME PAS VOUS LAISSER METTRE LE FEU À TOUTE LA VILLE...

UNE PLUME DE SA-KURA...
UN FRAG-MENT DE SA MÉMOIRE ...
ENFIN
JE L'AI TROU-VÉE !

Chapitre 13 - Pourquoi ces larmes ?

ON DIRAIT QUE ÇA SE COUVRE, IL VA PLEUVOIR...
CATACLOP
BONSOIR, SHAOLAN !
COMMENT ÇA S'EST PASSÉ ?
HEIN ?
HOLÀ ! TU AS L'AIR PRESSÉ !
ET PUIS, TU ES TOUT SALE, DIS DONC...
J'AI TROUVÉ UNE PLUME DE SAKURA !
C'EST VRAI ?

CLAC
FLAAAAAASSH
FIOU
ÇA Y EST, SAKURA, ÇA VA ALLER RÉVEILLE-TOI !
SAKURA !

SI JE M'ENDORS...
LA PREMIÈRE PERSONNE QUE JE VERRAI, QUAND JE ME RÉVEILLERAI...
FLASH
CE SERA TOI, SHAOLAN !
GNI

SUU
SA-
KU-
RA
!

QUI...

QUI ÊTES-VOUS ?

JE M'APPELLE SHAOLAN...
ET VOUS ÊTES LA PRINCESSE SAKURA !

ÉCOUTEZ-MOI BIEN, MÊME SI ÇA PEUT VOUS PARAÎTRE ÉTRANGE...
VOUS ÊTES UNE PRINCESSE QUI VIENT D'UNE AUTRE DIMENSION...
UNE AUTRE... DIMENSION ?
VOUS AVEZ PERDU LA MÉMOIRE, ET VOUS ÊTES EN TRAIN DE VOYAGER DE MONDE EN MONDE POUR LA RÉCUPÉRER...
TOUTE SEULE... ?
NON...
NOUS SOMMES PLUSIEURS À VOUS ACCOMPAGNER...
VOUS AUSSI... VOUS VOYAGEZ AVEC MOI ?
OUI...

MAIS ON NE SE CONNAÎT MÊME PAS...
C'EST VRAI...
SW
PRINCESSE SAKURA, JE SUIS RAVI DE VOUS CONNAÎTRE...
JE M'APPELLE FYE D. FLOWRIGHT !
TOP

ET LUI, LÀ...
JE M'APPELLE KUROGANÉ !
ET CETTE ADORABLE BOULE DE POILS...
MOKONA MODOKI ! OU MOKONA TOUT SIMPLEMENT...
ON SE SERRE LA PINCE ?

ZAAAAAAAAAAAA

JE PENSAIS QU'IL AURAIT CRAQUÉ
PLUS TÔT !
SAKURA COMPTE BEAUCOUP POUR SHAOLAN...
J'ÉTAIS SÛR QU'IL ALLAIT PLEURER QUAND ELLE NE L'A PAS RECONNU...
IL ATTEN-DAIT D'ÊTRE SEUL...
PEUT-ÊTRE...
IL FAUT ÊTRE FORT POUR NE PAS PLEURER...
SURTOUT DANS UNE SITUATION AUSSI DIFFICILE...

OUI...
FLAP
MAIS...
C'EST AUSSI UNE FORCE DE PLEURER QUAND IL LE FAUT...

ON AURAIT DIT QUE QUELQU'UN ME TENAIT LA MAIN DANS MON SOMMEIL...
CETTE MAIN...
ELLE ÉTAIT SI DOUCE...

ELLE A RETROUVÉ UNE PREMIÈRE PIÈCE DE SA MÉMOIRE...
HUÚM...
OUI, MAIS AURA-T-ELLE AUTANT DE CHANCE LA PROCHAINE FOIS ?

VOYAGER À TRAVERS LES DIMENSIONS...
J'AURAI CE POUVOIR UN JOUR...

MÊME
SI POUR
ÇA, JE DOIS
FAIRE
COULER
LE SANG
!
À SUIVRE...